JN048293

人生で大切なたったひとつのこと

Congratulations, by the way

George Saunders

ジョージ・ソーンダーズ
外山滋比古、佐藤由紀 訳

KADOKAWA

人生で大切な
たった
ひとつのこと

母方の祖父母、

ジョン・クラークとジェーン、

父方の祖父母、

ジョージ・A・ソーンダーズと

マリ（メイ）へ

In loving memory of

my grandparents:

John and Jane Clarke

George A. and

Marie (Mae) Saunders

はじめに

著者のジョージ・ソーンダーズは、米タイムズ誌の「世界でもっとも影響力のある百人」のひとりにも選ばれた、短編小説の名手です。二〇一三年五月十一日、ニューヨーク州の名門校、シラキュース大学教養学部の卒業式で、短いユーモアたっぷりのスピーチをしました。ソーンダーズは教養学部の教授を務めています。

卒業式スピーチの大半はまもなく忘れられてしまうものですが、これはちがいました。卒業式から約三ヶ月後の七月三十一日、ニューヨーク・タイムズ紙のウェブサイトにスピーチ原稿が掲載されると、たちまちアクセス数が百万回を超え、世界中で反響を巻き起こします。ランダムハウス社は二〇一四年四月、スピーチにソーンダーズ自身がほんの少し加筆した単行本

"Congratulations, by the way — Some Thoughts on Kindness"を出版し、こちらもベストセラーになりました。

本書は、この英語の原文に日本語訳をつけたものです。

ソーンダーズは出版後のインタビューで、「二十分間の原稿を用意していたが、卒業式の二日前に八分間と聞かされ、余分なところを削り心から伝えたいことだけを話した」と、明かしています。

これは、「やさしいひとになる」という、簡単そうで難しいことを、わかりやすいことばで、鋭く、深く、とびきりおもしろく語ったスピーチの全文です。社会に巣立つ若者はもちろん、つらい思いをしているかもしれない十三歳の少年、少女から、百三十四歳の超高齢者まで、人間らしく生きたいと望む、すべての世代の人々を、奮い立たせてくれることでしょう。

二〇一五年十二月

佐藤由紀

卒業式でのスピーチには、何世代にもわたって進化してきた伝統的な型があります。すでに盛りを過ぎたおっさんが、とんでもない間違いだらけの人生を送ったあげく（わたしのことです）、いまから人生の最盛期を迎えようという、輝かしく活力にみちた若いひとたち（つまり、みなさんです）に心からの助言を贈るというものです。

わたしもこの伝統を尊重しようと思います。

DOWN THROUGH THE AGES, a traditional form has evolved for this type of speech, which is: Some old fart, his best years behind him, who over the course of his life has made a series of dreadful mistakes (that would be me), gives heartfelt advice to a group of shining, energetic young people with all of their best years ahead of them (that would be you).

And I intend to respect that tradition.

さて、としよりとつきあっていいこと、といえば、おカネを借りることや、昔のダンスのひとつも踊らせて、それを見て笑いとばすことくらいでしょう。実は、あなたがたの役に立つことがもうひとつあります。「人生を振り返って、あなたが後悔していることは何ですか？」とたずねることです。すると、としよりはきっと答えてくれます。ときには、聞かれなくても話すものです。それだけはやめてくれと頼んだって、話すかもしれませんね。

そこで、わたしが後悔していることは何か？　貧しい暮らしをしていたこと？　うーん、ちがいます。とんでもない仕事に就いたこと？（たとえば、コンビニの店員だったとき、店の表にあった大きな看板の金額表示をとり替えようとしてはしごから転げ落ち、顔で着地したこと？）不思議なことに答えはノーです。それも後悔していません。

Now, one useful thing you can do with old people, in addition to borrowing money from them or getting them to do one of their old-time "dances," so you can watch while laughing, is ask, "Looking back, what do you regret?" And they'll tell you. Sometimes, as you know, they'll tell you even if you haven't asked. Sometimes, even when you've specifically requested that they not tell you, they'll tell you.

So: What do I regret? Being poor from time to time? Not really. Working terrible jobs? (Being, for example, a convenience store clerk and, while outside changing the prices on the big sign, falling off the ladder and landing on my face?) Strangely, no: I don't even regret that.

ス

マトラ島の川を素っ裸で泳いだこと？　もの音がしてふと見あげると、三百匹ものサルがパイプラインに腰かけ、川にウンチをしていました。当のわたしは、その川で大きく口を開けて息をしながら泳いでいて、しかも裸でした。そのあと生死をさまようほどの病気となって、七ヶ月間も闘病生活をしたことでしょうか？　もちろん、ちがいます。

ときたま恥ずかしい姿をさらしたことでしょうか？　たとえばあるとき、大観衆の前でアイスホッケーをしていて、観客席にはその当時、好きだった女の子もいて、転倒しながらもウォーッという奇妙な声をあげてオウンゴールを決めてしまい、さらに、ふっとばした自分のスティックが観客席にいるその女の子にぶつかりそうだったことでしょうか？　いや、それだって後悔していません。

Skinny-dipping in a river in Sumatra, a little buzzed, and looking up and seeing like three hundred monkeys sitting on a pipeline, pooping down into the river, the river in which I was swimming, with my mouth open, naked? And getting deathly ill afterward, and staying sick for the next seven months? Honestly, no.
Do I regret the occasional humiliation? Like once, playing hockey in front of a big crowd, including this girl I really liked, I somehow managed, while falling and emitting this weird whooping noise, to score on my own goalie, while also sending my stick flying into the crowd, nearly hitting that girl?
No. I don't even regret that.

当に悔やんでいるのはこういうことです。

わたしが小学七年生のときです。クラスに女の子が転校してきました。個人情報保護を考えて、この卒業式スピーチではその子の名前をエレンということにしましょう。

エレンは体が小さくて恥ずかしがりやでした。当時はおばさんしか使わない、両端がつりあがった青いフレームのメガネをかけていました。緊張すると、髪のはしっこを口に入れてかむクセがありました。そして、ほとんどいつも緊張していました。

But here's something I do regret:

In seventh grade, this new kid joined our class. In the interest of confidentiality, her Convocation Speech name will be "ELLEN." ELLEN was small, shy. She wore these blue cat's-eye glasses that, at the time, only old ladies wore. When nervous, which was pretty much always, she had a habit of taking a strand of hair into her mouth and chewing on it.

エレンは、わたしたちと学校も同じだし家も近くでしたが、みんなからほとんど無視され、ときどきからかわれていました（「おい、おまえ、髪がうまいのか？」といった具合です）。

こうした仕打ちがエレンを傷つけたことは、わたしにもわかりました。侮辱をうけたときの様子を覚えています。目をふせ、腹をけられたような苦痛の表情をうかべ、自分の居場所がそこではないと思い知らされ、できることなら消えてしまいたい、と思っているようでした。しばらくすると、髪をくわえたまままいなくなりました。

家ではこんな会話をするのだろうな、と想像していました。お母さんが「きょう、学校はどうだったの？」と聞くと、エレンは「ああ、ふつうよ」という。お母さんは「お友だちはできたの？」とたずね、エレンは「もちろん、たくさんね」と答える。

So she came to our school and our neighborhood
and was mostly ignored, occasionally teased.
("Your hair taste good?" — that sort of thing.)
I could see this hurt her. I still remember the
way she'd look after such an insult: eyes cast
down, a little gut-kicked, as if, having just been
reminded of her place in things, she was trying,
as much as possible, to disappear. After a while
she'd drift away, hair strand still in her mouth.
At home, I imagined, after school, her mother
would say, you know, "How was your day,
sweetie?" and she'd say, "Oh, fine."
And her mother would say, "Making any
friends?" and she'd go, "Sure, lots."

きどき、エレンが、家から出るのをためらうように、庭の芝生にひとりでたたずんでいるのを目にしました。

そして、エレンの一家は引っ越しました。それでおしまいです。悲劇もないし、別れ際にひどいいじめがあったわけでもありません。

エレンはある日、そこにいて、次の日にはもういませんでした。

これで話はおわりです。

Sometimes I'd see her hanging around alone in her front yard, as if afraid to leave it.

And then — they moved. That was it. No tragedy, no big final hazing.

One day she was there, next day she wasn't.

End of story.

では、なぜ、わたしはそれを後悔しているのか？　なぜ、四十二年後のいまでもあのときのことが頭を離れないのか？　ほかの大半の同級生にくらべて、わたしはエレンによくしたほうでした。ひどいことはひとこともいいませんでした。実をいうと、ときどき、エレンを（控えめに）かばったことだってあります。

それでも、気になるのです。

Now, why do I regret *that* ? Why, forty-two years later, am I still thinking about it? Relative to most of the other kids, I was actually pretty *nice* to her. I never said an unkind word to her. In fact, I sometimes even (mildly) defended her.

But still. It bothers me.

ちょっと感傷的で、うまくいえないかもしれませんが、心から伝えたいのはこれです。

わたしが人生でもっとも後悔しているのは、「やさしさがたりなかった」ということです。

目の前にだれかがいて、そのひとが苦しんでいる。そのときに、わたしはどんなふうに応えたのか……まあ、ほどほどに？　冷たく？　それとも控えめに？

So here's something I know to be true, although it's a little corny, and I don't quite know what to do with it:

What I regret most in my life are *failures of kindness.*

Those moments when another human being was there, in front of me, suffering and I responded... sensibly. Reservedly. Mildly.

は、望遠鏡を反対側からのぞいてみましょう。あなたの人生で、いちばんに温かい気持ちで、もっとも好ましいひととして覚えているのはだれですか？

あなたに対してだれよりもやさしかったひとでしょう、きっと。

簡単そうに見えて、実践するのは本当に難しいのですが、「もっとやさしいひとになること」を、人生の目標のひとつにしてみてはどうでしょう。

そこで、百万ドルの値打ちがある質問です。問題は何か？　わたしたちは、どうしてもっとやさしいひとになれないのでしょうか？

Or, to look at it from the other end of the telescope: Who, in your life, do you remember most fondly, with the most undeniable feelings of warmth?

Those who were kindest to you, I bet.

It's a little facile, maybe, and certainly hard to implement, but I'd say, as a goal in life, you could do worse than: *Try to be kinder*.

Now, the million-dollar question: What's our problem — why aren't we kinder?

たしはこのように考えています。

わたしたちは、それぞれみな、たぶんダーウィンの生物進化論で説明されるようなややこしい考えをもって生まれます。たとえば、①わたしたちは全世界の中心である（つまり、自分たちの過去と現在こそがいちばんで、もっとも関心を引くことであり、実際、重要なのはそれだけだ）、②わたしたちは全世界とは別に存在している（こちら側にわたしたちがいて、あちら側にすべてのガラクタのたぐい、たとえば、イヌだの、ブランコだの、ネブラスカ州だの、低くたれこめる雲だの、もっといえば、他人だの、がある）、そして、③わたしたちは永遠不滅である（だれもが死ぬ。わかっているよ、もちろん。でも、それはわたしには当てはまらない）。

Here's what I think:

Each of us is born with a series of built-in confusions that are probably somehow Darwinian. These are: (1) we're central to the universe (that is, our personal story is the main and most interesting story, the *only* story, really); (2) we're separate from the universe (there's *us* and then, out there, all that other junk — dogs and swing sets and the state of Nebraska and low-hanging clouds and, you know, other people); and (3) we're permanent (death is real, okay, sure — for you, but not for me).

ちろん、わたしたちはそんなことは信じていないし、理性ではもっとよくわかっています。しかし、本能ではそれを信じ、それに従って生きています。そのために、ほかのひとが必要とすることより、自分たちが必要とすることを優先させてしまいがちです。心のなかでは、いまより自分勝手でなくて、いま身近で起きていることをもっと意識して、もっと心を開いた、もっと愛情をもったひとでいたい、と望んでいても、です。

そういうひとになりたいと望んでいることを、わたしたちは知っています。なぜかといえば、そういうひとになったことがときたまあり、気持ちがよかったからです。

Now, we don't really believe these things — intellectually, we know better — but we believe them viscerally, and live by them, and they cause us to prioritize our own needs over the needs of others, even though what we really want, in our hearts,is to be less selfish, more aware of what's actually happening in the present moment, more open, and more loving.

We know we want to be these things because from time to time we *have been* these things — and liked it.

こで、ふたつめの百万ドルの質問です。

わたしたちはどうすればいいのか？　どうすれば、もっと愛情があって、もっと心を開いて、いまより自分勝手でなくて、いま起きていることをもっと意識して、いまより非現実的でない、などなどの……ひとになれるのでしょうか？

そう、そうです、いい質問です。

残念なことに、わたしには三分しか残り時間がありません。

So, the second million-dollar question:
How might we *do* this? How might we become more loving, more open, less selfish, more present, less delusional, et cetera, et cetera?

Well, yes, good question.

Unfortunately, I only have three minutes left.

も、これだけはいわせてください。方法はあります。あることを、みなさんはもうご存じです。というのも、あなたがたは、自分の人生でいくつもの「とってもやさしい時期」と、いくつもの「あんまりやさしくない時期」があったことを知っているからです。何が「とってもやさしい時期」に導いたのか、何が「あんまりやさしくない時期」から脱出させてくれたのかもわかっています。

すごいですよ、これ。やさしさが時と場合で「変わるもの」なら、理屈からいって、やさしさは「向上するもの」という結論になります。つまり、社会全体のやさしさを実際に増やせる方法論と実践法が必ずある、ということです。

So let me just say this: There *are* ways. You already know that because, in your life, there have been High Kindness periods and Low Kindness periods, and you know what inclined you toward the former and away from the latter. It's an exciting idea: Since we have observed that kindness is *variable*, we might also sensibly conclude that it is *improvable*; that is, there must be approaches and practices that can actually increase our ambient level of kindness.

のためには、教育が役に立ちます。芸術作品の創作に没頭するのもいい。祈るのもいい。瞑想もいい。親しい友だちと心おきなく語りあうのもいい。

わたしたちの生まれる前から、こうした問題を考え、わたしたちのために答えを残してくれた、数えきれないほど多くの優れた賢者がいますが、そうしたひとたちに学び、哲学や宗教といった精神的な伝統において自己を確立するのもいい。過去の賢者たちの英知に学ばないとしたら、それは変だし、自分から負けてしまうようなものです。白紙の状態から物理学の新しい法則を発見しようとしたり、すでにある技術や知識などを学ばずに、脳外科手術のまったく新しい方法を考案したりすることが、いかに無茶かを考えるとわかるでしょう。

Education is good; immersing ourselves in a work of art: good; prayer is good; meditation's good; a frank talk with a dear friend; establishing ourselves in some kind of spiritual tradition — recognizing that there have been countless really smart people before us who have asked these same questions and left behind answers for us. It would be strange and self-defeating to fail to seek out these wise voices from the past — as self-defeating as it would be to attempt to rediscover the principles of physics from scratch or invent a new method of brain surgery without having learned the ones that already exist.

と

いうのも、やさしいひとになることは、実は、思ったより難しいのです。やさしいひとになることは、虹はきれいだ、子犬はかわいい、というように、だれでもわかる簡単なことから始まりますが、さまざまな方向に広がっていき……そう、すべてのことにかかわってくるからです。

Because kindness, it turns out, is hard — it starts out all rainbows and puppy dogs and expands to include... well, everything.

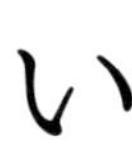

いことがひとつ、あります。わたしたちは年とともに、自然に、多少なりとも「やさしいひと」になっていきます。単なる老化現象かもしれませんが、年を重ねるにつれて、自分勝手はなんと無意味なのか、実際になんと不合理なのか、わかってきます。

ひとを愛するようになると、自分中心の生き方を方向転換させられます。現実の生活に尻をけとばされると、そこにだれかが来て味方になってくれたり、助けてくれたりして、自分たちは世界とは別に存在しているのではないし、別であってほしくない、と悟ります。

One thing in our favor: Some of this “becoming kinder” happens naturally, with age. It might be a simple matter of attrition: As we get older, we come to see how useless it is to be selfish — how illogical, really.

We come to love certain other people and are thereby counterinstructed in our own centrality. We get our butts kicked by real life, and people come to our defense, and help us, and we learn that we’re not separate, and don’t want to be.

ばにいる大切なひとたちが、ひとりひとり去っていくのを知って、自分も同じことになるだろうと、だんだん納得します（いつか、いまよりずっと先には、ですが）。ほとんどのひとは、年をとるにつれて、自分勝手なところが減り、もっと愛情深くなります。これは真実だと思います。シラキュース大学の教師でもあった、偉大な詩人のヘイデン・カルースは、晩年に書いた詩で、いまの自分にあるのは愛情だけだ、といいました。

そこで、予言というか、わたしが心からあなたがたのなかに起きてほしいと願うのは、このことです。年をとるにつれて、あなたという自分は小さくなり、愛情が増えます。「自分」はだんだんと「愛情」に、入れ替わります。

We see people near and dear to us dropping away, and are gradually convinced that maybe we too will drop away (someday, a long time from now). Most people, as they age, become less selfish and more loving. I think this is true. The great Syracuse poet Hayden Carruth said, in a poem written near the end of his life, that he was mostly Love, now.

And so, a prediction, and my heartfelt wish for you: As you get older, your self will diminish and you will grow in love. YOU will gradually be replaced by LOVE.

親になったら、それは自分が小さくなる過程の正念場です。子どものためなら、「あなた」に何があっても構わないと考えるでしょう。それが、あなたがたのご両親が今日この日、誇らしく幸せな気持ちでいる理由のひとつです。ご両親がもっとも望んでいた夢のひとつが実現しました。卒業するみなさんは、ここに難しいけれど確実なものを達成しました。それは、これまで、あなたがたの人間としての幅を広げ、これから先もずっと、あなたがたの人生をよくしていってくれるものとなるでしょう。

ところで、卒業おめでとう。

If you have kids, that will be a huge moment in your process of self-diminishment. You really won't care what happens to YOU, as long as they benefit. That's one reason your parents are so proud and happy today. One of their fondest dreams has come true: You have accomplished something difficult and tangible that has enlarged you as a person and will make your life better, from here on in, forever.

Congratulations, by the way.

若いときは、十分な才能や能力があるのかどうか、見極められなくて、不安です。わかります。成功できるだろうか？　自立できるだろうか？　でも、とくにこの世代のみなさんは、野心には終わりがないことに気づいていているかもしれません。高校でいい成績をとって、いい大学に進学して、いい大学でいい成績をとって、いい仕事に就いて、いい仕事でいい成績をあげて……と、きりがありません。

そして、それはそれで構わないのです。もし、わたしたちが、もっとやさしいひとになるなら、行動するひと、達成するひと、夢をもち続けるひととして、自分自身と真摯（しんし）に向きあうことが必要です。最高の自分になりたいなら、そうしなくてはなりません。

When young, we're anxious — understandably — to find out if we've got what it takes. Can we succeed? Can we build a viable life for ourselves? But you — in particular you, of this generation — may have noticed a certain cyclical quality to ambition. You do well in high school, in the hopes of getting into a good college, so you can do well in the good college, in the hopes of getting a good job, so you can do well in the good job, so you can...

And this is actually okay. If we're going to become kinder, that process has to include taking ourselves seriously — as doers, as accomplishers, as dreamers.
We have to do that, to be our best selves.

うはいっても、みなさんそれぞれの目標を達成できるかどうかは予測不可能です。「成功すること」は、それがどんな意味をもつかは別にして、難しいのです。成功の条件はつねに新しくなります（成功とは、登っていくにつれ、目の前で高くなり続ける山のようなものです）。そして、大事な問題が放っておかれたまま、あなたの人生のすべてが、「成功すること」だけになってしまう大きな危険があります。

Still, accomplishment is unreliable.
“Succeeding,” whatever that might mean to you, is hard, and the need to do so constantly renews itself (success is like a mountain that keeps growing ahead of you as you hike it), and there’s the very real danger that “succeeding” will take up your whole life, while the big questions go untended.

過去を振り返ってみると、わたしは人生のほとんどを、さまざまなものでできた雲のなかですごしてきました。さまざまなものは、「やさしいひとでいること」をすみっこに追いやりました。

たとえば、不安。恐れ。自信のなさ。野心。十分に成功すれば、不安や恐れや自信のなさや野心といったすべてから解放されるという、間違った思いこみ。しかるべき成功、カネ、名声などを、十分に手に入れさえすれば、わたしの神経症は消えてしまうという思いこみ。

少なくとも大学を卒業した日からずっと、わたしは間違いなくこの霧のなかにいました。

I can look back and see that I've spent much of my life in a cloud of things that have tended to push "being kind" to the periphery. Things like: Anxiety. Fear. Insecurity. Ambition. The mistaken belief that enough accomplishment will rid me of all that anxiety, fear, insecurity, and ambition. The belief that if I can only *accrue* enough — enough accomplishment, money, fame — my neuroses will disappear. I've been in this fog certainly since, at least, my own graduation day.

長い年月、わたしはこのように思っていました。やさしさ、いいね、でも、まずはこの学期を済ませてから、この学位をとってから、この本を書いてから、この仕事で成功してから、この家を買えるようになってから、この子どもたちを育ててから、そして最後に、すべてを達成したら、やさしさに本腰を入れよう。ただ、すべてが達成されることは決してないのです。次々と目標が生まれ、永遠に終わりません。

Over the years I've felt: Kindness, sure — but first let me finish this semester, this degree, this book; let me succeed at this job, and afford this house, and raise these kids, and then, finally, when all is accomplished, I'll get started on the kindness. Except it never all gets accomplished. It's a cycle that can go on... well, forever.

こで、スピーチを締めくくるにあたって、手短に助言をしましょう。

わたしの考えでは、あなたがたの人生はより思いやりにあふれ、より愛情深くなる道筋をたどっていくのですから、そのときを待つのでなく、急いでください。速度を上げていってください。いますぐ始めてください。わたしたちはみな、自分勝手というややこしい考え、いや病気をもっています。でも、治療法もあります。

So, quick, end-of-speech advice.
Since, according to me, your life is going to be a gradual process of becoming kinder and more loving: Hurry up. Speed it along. Start right now. There's a confusion in each of us, a sickness, really: selfishness. But there's also a cure.

善良なひと、自ら働きかけるひとになってください。もっといえば、自分で自分を治療しなくてはならない、危ない患者のようなものだと思って、これからの人生で自分勝手を治すもっとも効果のあるクスリを精力的に探してください。

どうすればもっとやさしいひとになれるか、どうすれば心を開いて、もっとも愛情があって、寛容で、何をも恐れない自分を引き出せるのか、答えをみつけ、そういうひとになることにくらべたら、ほかのことなど意味がない、とでもいうように、追い求めてください。

なぜなら、実際、それ以外のことは意味がないからです。

Be a good and proactive and even somewhat desperate patient on your own behalf—
seek out the most efficacious anti-selfishness medicines, energetically, for the rest of your life. Find out what makes you kinder, what opens you up and brings out the most loving, generous, and unafraid version of you—and go after those things as if nothing else matters.

Because, actually, nothing else does.

ちろん、ほかのこと、野心的なことをして構いません。たとえば、旅に出たり、金持ちになったり、有名になったり、革新的なことをしたり、指導者になったり、恋におちたり、財を成したり、失ったり、自然のままのジャングルの川を裸で泳いだりしてください（まず、最初にサルのウンチのありなしを確かめてから）。

でも、そういうことをやりつつも、できるだけ、やさしさから遠ざからないようにしてください。大きな問題と向きあうようなことをしてください。あなたを小さな人間やつまらない人間にするようなことを避けてください。

Do all the other things, of course, the ambitious things — travel, get rich, get famous, innovate, lead, fall in love, make and lose fortunes, swim naked in wild jungle rivers (after first having them tested for monkey poop)
— but as you do, to the extent that you can, *err in the direction of kindness*. Do those things that incline you toward the big questions, and avoid the things that would reduce you and make you trivial.

なたという個性を超えて存在する、光っている部分、いうなれば魂は、過去のどの賢者たちにも負けないほど明るく輝いています。シェークスピアのように明るく、ガンジーのように明るく、マザー・テレサのように明るく輝いています。

この、ひそかに光り輝く部分をあなたから引き離そうとするものをすべて始末してください。光り輝く部分は本当に存在するのだ、と信じてください。もっとよく知ってください。育ててください。手に入れた果実を、労を惜しまずに分けあってください。

That luminous part of you that exists beyond personality — your soul, if you will — is as bright and shining as any that has ever been. Bright as Shakespeare's, bright as Gandhi's, bright as Mother Teresa's.
Clear away everything that keeps you separate from this secret, luminous place. Believe that it exists, come to know it better, nurture it, share its fruits tirelessly.

そして八十年後のある日、あなたが百歳、わたしが百三十四歳になり、わたしたちがみなうんざりするほどやさしく、愛情たっぷりになったら、わたしに短い手紙を書いて、あなたの人生がどうだったかを教えてください。

とてもすばらしかったよ、と、あなたが書いてくることを願っています。

すばらしく幸せな人生と、ありとあらゆる幸運を祈っています。そして、すてきな夏になりますように。

And someday, in eighty years, when you're a hundred and I'm a hundred and thirty-four, and we're both so kind and loving we're nearly unbearable, drop me a line, let me know how your life has been.
I hope you will say: It has been so wonderful.

I wish you great happiness, all the luck in the world, and a beautiful summer.

おわりに

　この本を最初に読んだとき、はじめの部分がよくわからなかった。ことばはわかっても心が伝わらない。後半になるとずっとわかりがよくなるが、なお、はっきりしないところがある。あわてて、もう一度、読み返してみるとよくわかる。こちらの読み方のせいばかりではなく、この本はもともと二度読まれることをのぞんでいるのかもしれない。

　古来、詩歌は、一度だけでなく二度読まれることを前提にしているようである。和歌の披講で二度、読み上げられるのは偶然ではない。すぐれた表現は再読を求める。

　元の講演を聴いた人たちを一次的享受者とすれば、活字、本を読むのは二次的で、さらに日本語になった翻訳の読者は三次的享受者であるけれども、三次的受け手が、もっとも少ないことを学ぶとは限らない。ひょっとすると、もっとも多くのものを読みとるかもしれない。

そういうわけで、この本は高級なのである。

二〇一五年十二月

外山滋比古

復刊によせて

日本人にとっておもしろくて、ためになりそうな海外の本を翻訳しませんか。外山滋比古先生がこう提案されたのは十年前でした。候補のなかで、もっとも出版の見込みが薄かったのは本書です。なにしろ短い。ところが、先生は「簡単に読み通せるから、これはいい。それに何度も読んで考えることができる」と、即断されました。

予言の通り、この本は二〇一六年に海竜社から出版され、版を重ねたのですが、しばらくして版元が廃業してしまいました。このたび復刊できたのはKADOKAWAの野本有莉さんのおかげです。その野本さん、じつは初版のときの編集者でした。

そういうわけで、これは、小さくて、とびきり幸せな本なのです。

二〇二四年一月

佐藤由紀

［著者紹介］

ジョージ・ソーンダーズ

George Saunders

作家、シラキュース大学教授。1958年12月2日、米テキサス州生まれ。父親の故郷・シカゴで少年時代を送る。コロラド鉱山大学を卒業後、インドネシアで石油探査の仕事をしていたが、体調を崩して帰国。その後、ドアマン、ギタリスト、屋根職人、コンビニの店員、食肉処理場作業員など、さまざまな職に就いたことで豊富な人生経験を積んだ。

1986年、作家を目指してシラキュース大学教養学部の創作科（修士課程）に入学。1988年に卒業、製薬会社などで働きながら創作を続けた。1996年、初の短編小説集『CivilWarLand in Bad Decline』を出版、同年、出身校であるシラキュース大学の創作科で教え始めた。教職のかたわら、乾いた笑いで現代社会を風刺する独創的な短編を次々に発表し、「英語圏で最高の短編作家」とも称される。2017年、初の長編小説『リンカーンとさまよえる霊魂たち』で、英ブッカー賞を受賞した。ほかに『十二月の十日』『短くて恐ろしいフィルの時代』『フリップ村のとてもしつこいガッパーども』『パストラリア』などの著作がある。

卒業式スピーチの動画は、
シラキュース大学のYouTubeチャンネルから視聴できます。

［訳者紹介］

外山滋比古 とやま・しげひこ

1923～2020年。お茶の水女子大学名誉教授。評論家、エッセイスト。東京文理科大学卒。『英語青年』編集長を経て、東京教育大学助教授、お茶の水女子大学教授。著書に、ベストセラーとなった『思考の整理学』（ちくま文庫）など。

佐藤由紀 さとう・ゆき

山形県生まれ。津田塾大学国際関係学科卒。元毎日新聞編集委員。訳書に『「変わった子」でいいよ―アンドレアのニッポン出産・育児日記』（毎日新聞社）。

ブックデザイン／鈴木千佳子

DTP／キャップス

人生で大切なたったひとつのこと

2024年3月13日　初版発行
2024年8月10日　3版発行

著者／ジョージ・ソーンダーズ

訳者／外山滋比古・佐藤由紀

発行者／山下直久

発行／株式会社KADOKAWA

〒102-8177　東京都千代田区富士見2-13-3

電話0570-002-301（ナビダイヤル）

印刷／大日本印刷株式会社　　製本／本間製本株式会社

ISBN 978-4-04-114585-2　C0098